Il neige

Paul Humphrey et Helena Ramsay
Denis-Paul Mawet

Illustrations de
Stuart Trotter

Éditions Gamma Jeunesse

Chouette! il neige!
Allons jouer!
Faisons
un bonhomme de neige!

avc

Regarde, il y a des dessins sur la vitre! On dirait de jolies feuilles.

C'est le givre qui les a formés. Le givre, c'est aussi des cristaux de glace.

D'où vient le givre?

Sortons notre luge.

Quand il fait froid, les gouttes d'e
des nuages gèlent. Elles se transfo
en minuscules cristaux de glace q
s'assemblent pour former
les flocons de neige.

Sortons notre luge.

N'oubliez pas de mettre des vêtements chauds. Quand il fait aussi froid, le corps a besoin d'être protégé !

J'enfile mon bonnet, mes gants et mon manteau.
Et moi, je vais mettre des chaussettes épaisses. J'ai horreur d'avoir froid aux pieds.
7

Il neige encore. Essayons d'attraper les flocons.

Quand il fait froid, les gouttes d'eau des nuages gèlent. Elles se transforment en minuscules cristaux de glace qui s'assemblent pour former les flocons de neige.

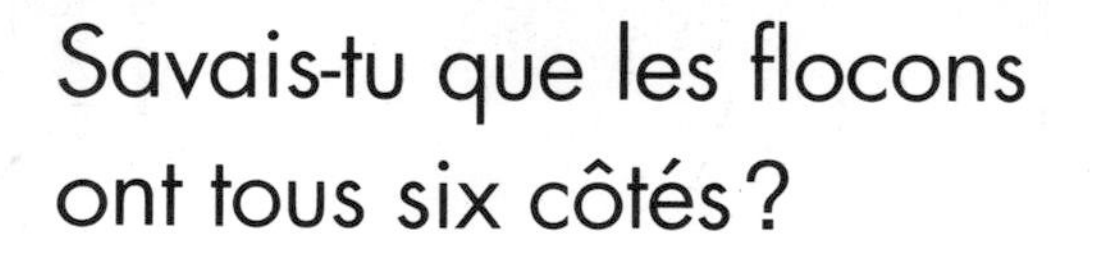

Savais-tu que les flocons
ont tous six côtés ?

*Ils sont tous
identiques alors ?*

Non. Il en est déjà tombé des millions
et personne n'en a jamais trouvé deux
semblables. Mais ils ont tous
des formes magnifiques.

Certains ressemblent à des étoiles, d'autres à des fleurs, mais il faut une loupe pour le voir.

Regarde, il y a des dessins sur la vitre! On dirait de jolies feuilles.

C'est le givre qui les a formés. Le givre, c'est aussi des cristaux de glace.

D'où vient le givre?

L'air contient de minuscules gouttes d'eau. Quand il fait très froid, les gouttes d'eau gèlent...

Les parterres sont couverts de neige.
Je ne vois plus nos plantes. Est-ce qu'elles vont bien?

Ne t'inquiète pas pour elles. La neige agit comme une couverture. Elle empêche la chaleur de s'échapper du sol.

Regarde. Les bourgeons de cet arbre sont gelés.

Il faut attendre qu'il fasse plus chaud et alors, les feuilles apparaîtront.

La neige étouffe les sons. C'est comme si on parlait au travers d'un oreiller.

Il y a des empreintes de lapin,
de chat et même de petits oiseaux.

Les oiseaux ont faim. Quand il y a de la neige, ils ne peuvent plus picorer le sol. Et si on leur donnait à manger ?

Pourquoi les oiseaux gonflent-ils leurs plumes?

Lorsqu'il fait froid, c'est ainsi que les oiseaux gardent la chaleur près de leur corps.

La plupart des petits animaux restent bien au chaud dans leur terrier jusqu'à la fonte des neiges. Les plus grands ne souffrent pas du froid grâce à leur fourrure épaisse et chaude.

Saviez-vous que le pelage de certains animaux, comme le lièvre arctique, devient blanc en hiver ? Amusant, non ?

Regardez les grands glaçons, là-bas!

Le froid transforme les gouttes d'eau en glaçons. Plus l'eau coule et gèle, plus les glaçons s'allongent.

Jouons avec
la luge.

Tenez-vous bien. La luge va glisser très vite sur la neige. Quand nous serons en bas de la colline, nous irons voir l'étang.

Eh, l'étang
est gelé!
Et les poissons?

Les poissons vont bien. Le fond de l'étang n'est pas gelé et il y fait plus chaud. Ils peuvent y survivre pendant des mois, si nécessaire.

Quand le temps se réchauffera, la neige fondra.

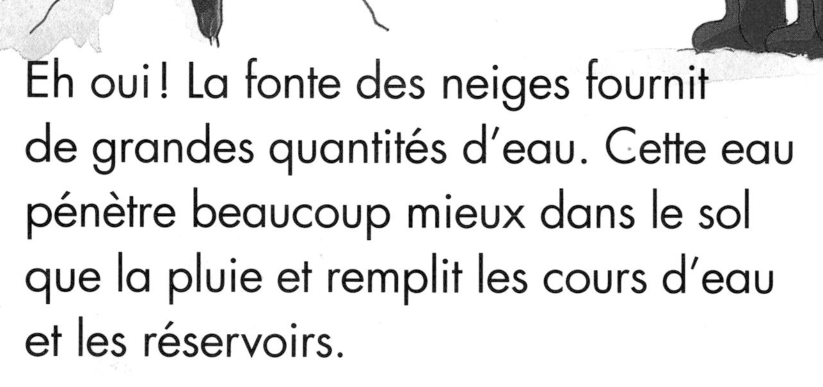

Eh oui! La fonte des neiges fournit de grandes quantités d'eau. Cette eau pénètre beaucoup mieux dans le sol que la pluie et remplit les cours d'eau et les réservoirs.

J'ai froid.
Rentrons maintenant.

À quels animaux appartiennent ces empreintes ? Les réponses se trouvent au bas de la page.

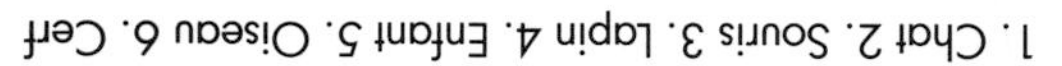